Reiner Kunze
auf eigene hoffnung
gedichte

S. Fischer

PT
2671
U5
A9
cop.2

© 1981 S. Fischer Verlag GmbH, Frankfurt am Main
Satz: Fotosatz Otto Gutfreund, Darmstadt
Druck: Georg Wagner, Nördlingen
Einband: G. Lachenmaier, Reutlingen
Printed in Germany 1981
ISBN 3-10-042007-1

... Resignation ist kein Nihilismus; Resignation führt ihre Perspektiven bis an den Rand
des Dunkels, aber sie bewahrt Haltung auch
vor diesem Dunkel.

Gottfried Benn

des fahnenhissens bin ich müde, freund

NACHTFAHRT

Ein licht vor sich herschickend, zufahren
auf ein licht

Auf die möglichkeit eines lichts

Auf einen lichtschalter der
nicht berührt werden wird

Unter dessen lampe
du schläfst

ABBITTE NACH DER REISE

Keinen alkohol!
(die frau als arzt)

1
Standhaft enthielt sich die leber
in Pilsen des bieres

Einen fehltritt tat sie
auf dem weinberg bei Mělník (von erinnerungen
                                                    überredet
an den großen regen der unser
erstes gemeinsames dach war)

In einem weinkeller bei Znaim wo
jungwein brauste brach sie aus
aus der zwangsehe mit dem wasser (du weißt, die sonne
Südmährens, die alte
kupplerin)

2
Verzeih mir das alleinsein an dem tag den ich nun
früher sterben werde: die kehle, verstehst du, die kehle,
                                                    der leber
trockene schwester . . .

TAGEBUCHBLATT 74
(für Karl Corino)

1
Das waldsein könnte stattfinden
mit mir

(Nicht mehr bedroht sein
von allen äxten

Eine wasserader
unter den wurzeln)

2
Ich aber will nicht einstimmen
müssen

(Lieber immer neue äste treiben zu wehren
der axt

Lieber die wünschelruten der wurzeln
wieder und wieder verzweigen)

GRÜNDE, DAS AUTO ZU PFLEGEN

Schon wieder in der garage!
(die tochter beim anblick des verlassenen
schreibtischs)

Wegen
der großen entfernungen, tochter

Wegen der entfernungen
von einem wort zum andern

RAUMFAHRT IM WAGEN DES GASTES

Noch dürfen wir nicht zurück zur erde, obwohl wir
an ihr haften

Noch ist das letzte ziel der kamera
nicht fotografiert

Die fliegende dämmerung überholen, das zielfoto
wird entscheiden

An der windschutzscheibe flügel
winziger erschlagener engel

MÖGLICHKEIT, EINEN SINN ZU FINDEN
(für M.)

Durch die risse des glaubens schimmert
das nichts

Doch schon der kiesel
nimmt die wärme an
der hand

TAGEBUCHBLATT 75
(Karlsbad, sanatorium Thomayer)

1
Noch hinterm geschlossenen lid
bilder verlassener baustellen: erde aufgeworfen
wie fragen deren antwort niemand weiß, wie
im vertrauen aufgeworfen
auf die bewegung der erde

Einer – ein einziger, scheint's – deckt
einen der sechs zwiebeltürme
der russischen kirche

Mein mittagsschlaf ist dünnes kupferblech
unter seinem hammer

2
So weckt das proletariat
die schlafenden dichter die manchmal schlafen

müssen

REKONVALESZENZ

Laß uns, herz, ein stück des wegs
auf katzenpfoten gehn

Der steine sind genug, die krallen
freundlich zu schärfen

JUNGE HÄHNE

In ihren kehlen tragen sie
kleine stimmbrüche durch die wiese aus denen sie die töne
heraussprengen

Töne die fensterglas schneiden

Unermüdlich krähen die jungen hähne

In den schwülen nächten
stehn sie auf der stange
mit geöffneten schnäbeln

SOMMER IN L.

Die postfrau putzt den dorfbriefkasten als wolle sie ihm
einen schimmer hoffnung geben
auf einen brief

Die liegenden kühe drehen die ohren
wie helikopterschrauben, ohne sich
auch nur einen millimeter
vom boden abzuheben

Der habicht zieht seine kreise
bis ins blut

TATSACHEN

1
Betrunkene rowdys hätten versucht
unruhe zu stiften in K., meldete am morgen
die presseagentur der hauptstadt

Einer habe sich
öffentlich verbrannt

Wer wird bestreiten daß
alkohol brennt

2
Der bevölkerung sei es gelungen die ruhe
wiederherzustellen, meldete die presseagentur
am abend

Wer wird die zugehörigkeit bestreiten
der fallschirmjäger zur bevölkerung

KORREKTUR

Das Manuskript Deines Bandes ist ... in der
Druckerei, und die Fahnen sollen demnächst
korrigiert – fast hätte ich gesagt: gehißt – werden
(Ewald Osers, 1973)

1
Des fahnenhissens bin ich müde, freund

Allein auf diese fahnen will ich
einen eid noch leisten

2
Auf eine mit einem liebesgedicht

ERMUTIGUNG NACH 200 JAHREN
(auf dem heimweg von einem orgelkonzert)

Zu füßen gottes, wenn
gott füße hat,

zu füßen gottes sitzt
Bach,
      nicht
der magistrat von Leipzig

auch dies ist mein land

Von niemandem vereinnahmbar
Erasmus von Rotterdam

BEIM AUSPACKEN DER MITGEBRACHTEN BÜCHER

(nach übersiedlung von der Deutschen Demokratischen Republik in die Bundesrepublik Deutschland)

1
Hier dürfen sie existieren
unter ihrem namen
    Mandelstam Nadeshda
    Solschenizyn

Den undurchsichtigen klebestreifen
von ihren rücken entfernend, entferne ich von meinem

den unsichtbaren sträflingsstreifen

2
Hier dürfen sie
existieren

Noch

ICH BIN ANGEKOMMEN

Ich bin angekommen

Lange ließ ich auf nachricht
euch warten

Ich habe getastet

Doch ich bin angekommen

Auch dies ist mein land

Ich finde den lichtschalter schon
im dunkeln

DIE ZWEI KINDER DES NACHBARN

Du hörst ihr geschrei und denkst: kinder
Schon
stören sie dich nicht

Begegnest du ihnen, sind ihre kehlen
ausgetrocknet

Nicht der kleinste gruß blüht in ihnen

Wieder und wieder sprichst du sie an
Sie schweigen und blicken wie sieger

Du wirst schuldig unter ihren blicken

Auf bitten der mutter holst du den kindern
tennisbälle aus der dachrinne

Sie sammeln sie ein und gehn weg,
ihre sommerlichen rücken zwei nackte vorwürfe

EINLADUNG, MOZART ZU HÖREN

Es regnet

Die Donau zieht im tal
und am himmel hin

Am himmel nur fehlen die schiffe

Unten halten sie den fahrplan ein
für ein paar durstige

Der regen sinkt in die seelen

Laß uns die angel auswerfen
nach oben

JAN BALET:
DER GAST, AQUARELL 4,3 × 6 cm

Er nahm platz am rechten tisch
und ist die mitte

Noch sein schatten
hat rückgrat

Doch möchte man hinausgehn
und den ober vorbereiten

auf so viel verletzbarkeit

LESEZEICHEN FÜR ERWACHSENE
(nach einem besuch im Hans Christian Andersen-
Museum, Odense)

Auch die wunder im märchen
sind verzauberte wunden des dichters

LAWRENCE FORSTER DIRIGIERT
(London, Royal Festival Hall)

Mit daumen und zeigefinger der linken
zeigt er das öhr, durch das
der ton hindurch muß

Stich für stich
näht er mit dem taktstock
Schostakowitschs erste sinfonie – das presto des finales
ein nadelblitzen

Die schneider der vornehmen Bond Street
müßten ihm die hände küssen

IN DEN HIGHLANDS

Einmal, noch vor erschaffung des menschen,
versuchte sich gott als kupferschmied

So entstand
der herbst in den Highlands

Dann verließ gott die einsamen berge für immer

Er war noch jung,
aber schon gott

In den kesseln
blieb ewiges wasser zurück

Du kannst die geduld wiederfinden,
die gott hier verlor

SILBERDISTEL

Sich zurückhalten
an der erde

Keinen schatten werfen
auf andere

Im schatten der anderen
leuchten

GEBIRGSSCHLUCHT

Aus der höhe schlägt der bach ein, der berg
weist nach unten

Die richtung, die auf uns lebenden lastet

DIE GROSSEN SPAZIERGÄNGE

Die großen spaziergänge, auf denen wir
nicht ins leere greifen

Immer geht die hand des andern mit

AMULETT AUS DEM GEBIRGE
(gegen äußere und innere verletzungen)

Ins geröll
springen

Oder es meiden

SPÄTE ANTWORT

Die Schweiz ist . . . penetrant sauber.
(brief vom 28. august 1973)

Ich wünschte der kirche zu P.
je einen quadratmeter putz
von den weißen kirchen Graubündens, sie würde

Sachsen erleuchten

AUF DEM KALVARIENBERG BEI RETZ
IM JANUAR

Auch der weinstock ist ein gekreuzigter

Wie er sich in seiner nacktheit krümmt, die arme
zur seite gebunden

Ganz die gebärde des erlösers
am sandsteinkreuz

Und *blut und wasser* wird zur beere, aus der sie
jahr für jahr
den süßen einträglichen wein keltern

Wie aus dem stein den glauben

So viele gekreuzigte auf dem weg zu dem einen

HALLSTATT MIT SCHWARZEM STIFT

Halb hängend am gestein halb
ins wasser gepfählt

Todüber todunter

Vom fels der abschlägt erzählt
das beinhaus

Im türstock steigt der see auf
und die seelen der ertrunkenen
wohnen über der schwelle

Der bach reißt mauer und mensch
und bleibt im recht, das
beugt

AUF DEN SCHÄDEL EINER
SALINENARBEITERFRAU

Hallstatt, beinhaus

Ausgeschwemmt
der salzstock in ihr

Wie oft wohl fehlte
zum salz das brot

NACHT IM SKAGERRAK

Nicht die unruhe nur der see ist's daß ich
den schlaf nicht teilen kann mit denen, mit denen ich
                                        mich teile
in diese komfortable wiege

Wir begünstigten, gebettet
über unseren autos

Bewohner von ländern deren grenzen sichtbar werden
in einer handbewegung die
erlaubt

Zwischen meinen gedanken
hocken im dunkeln
blinde passagiere,

und ich habe für sie kein licht

Nur der dichter durfte weggehn
über jene grenze die abdrückt
auch ohne hände

Für andere ist das gedicht keine lücke

IN DER STABKIRCHE ZU LOM
(für Barbara von Wulffen)

Ihr maß ist der baum

Ein gewachsenes maß dem man
gewachsen war

Jeder pfeiler
ein maß-stab der
standhielt

Glaube
gefügt gespundet verriegelt verzapft

Noch der ton der trompete
duftet nach holz

LEERE SCHNEESTANGEN, NORWEGEN, MITTE SEPTEMBER

In dieser steinöde werden sie
zu wesen

Als wollten sie den schnee auffangen
ohne arme

Und jede ganz auf sich gestellt
gegen die übermacht des himmels

DIE SILHOUETTE VON LÜBECK

Damit die erde hafte am himmel, schlugen die menschen
kirchtürme in ihn

Sieben kupferne nägel, nicht aufzuwiegen
mit gold

PASSAU STICHT IN SEE

Der dom ein
kreuzmastsegel, an dem, matrosen gleich, steinmetze
klettern

Der schlot des Peschlbräus zeigt rauch, die kessel
stehen unter dampf

In dreier flüsse wasser zielt der bug, ein schiff das
seenot kennt

DAUERREGEN ÜBER PASSAU

Vom himmel stürzt der vierte fluß,
und die kuppeln des doms sind grün von tang

Der tag ist nahe, an dem in den straßen
der fisch springen wird

Und der kahn, jahraus jahrein angekettet unterm
                                    brückenbogen,
erbebt vor hoffnung,

mit der stirn
den scheitel der brücke berühren zu dürfen

AN DER DONAU IM NEBEL

Bis zum mittag kräht der hahn, ihm will
nicht morgen werden

Mit so dünnen stimmbändern müht er sich,
gott zu wecken, damit er

die falltür öffne über dem tal

AUF DEM FRIEDHOF VON O.
(für Elisabeth)

Eine enge, als neideten die gräber
einander die erde

Keine bank, deren lehne dann dir oder mir
ein flügel werden könnte

DEIN KOPF AUF MEINER BRUST

Mit meinem rechten schlüsselbein
schließen wir uns ein
in den schlaf

Sollte ich's im traum
verlegen, nehmen wir, uns wachzuschließen,
das linke

Mich nur, mich halte fest,
der schlaf hat schloß und klinke

MITTERNACHT VORÜBER

Eine schrift, niedergebogen zur erde

Siebzehn sei sie   Und warum der mensch geboren werde
in dieses leben   Und wenn auch der dichter

ihr's nicht sagen könne, wenn
auch er nicht, dann –

Was weiß er denn?

Daß ein gutes gedicht warten kann

Doch wie von diesem wissen abgeben, wie
abgeben davon

JUNGER INTERPRET

Zwischen den tasten wuchsen ihm veilchen
und er trennte sich von ihr

So streng feilt er am lauf seiner finger
wie an einem schlüssel

Einmal aber wird er nicht weiterwissen
obwohl er die noten weiß und nichts ihn ablenkt
                                        nicht einmal
ein duft

Er wird zu ahnen beginnen
daß der schlüssel zu letzter einfachheit
unendliche nähe ist

Ohne Anna Magdalena
kein Notenbüchlein

AN EINEN SCHAUSPIELER, DER BAT, SEINE ROLLE ZU VERLÄNGERN

Niemand verlängert uns unsere rolle
im leben

Gut müssen wir sie spielen, gut

Und sei sie stumm

LEBEN MIT EINEM MISSLUNGENEN WERK

Zeigen hattest du wollen
den strick, mit dem man die seelen hängt

Gezeigt hast du
ein würgemal

Zu groß war
das deine

Und viele gehen den henkern zur hand,
und tiefer schneidet der strick ein

BESCHNEIDEN DER APFELBÄUME
IM WINTER

Mit den ihren
kappe ich alle zweige in mir die
hoch hinauswollen

Von neuem
auf die augen setzend

Und auf die äste nach außen

Durch die krone eines apfelbaums
muß ein mann mit korb hindurchgehn können, sagen
die alten gärtner

Und übergroßes leid und übergroße freude
müssen hindurchgehn können
durch uns

SCHREIBTISCH AM FENSTER,
UND ES SCHNEIT

Vögel sichern länger als sie
futter aufnehmen

Und wieder verharre ich
reglos

Euren tadel daß ich zeit vergeude
weise ich zurück

Stille häuft sich an um mich,
die erde fürs gedicht

Im frühling werden wir
verse haben und vögel

ERSTES GELEIT
(für Clemens Graf Podewils)

Kunze hat sich angepaßt
(exilantenwort)

Ich passe mich an

Ich habe einen freund zu grabe getragen

Ich passe mich dieser wahrheit an
wie er sich nun anpaßt der erde

TRUTHENNEN IM REGEN

Auf der höchsten stange im hof
bieten sie ihm die stirn

Vom schnabel bis zum schwanz
eine einzige schräge

IM NACKEN DIE VERGANGENHEIT

Spaziergang im Taunus
Mitten im wald, den keine
grenze teilt, stellt mich
die grenze:
> der anstand des jägers ein
> wachturm

An der Donau unterhalb von Passau
Die grenze, über die ich blicke
auf Österreichs burg und buchen, ist

nichts als ein fluß

WO WIR WOHNEN
(für Felix, den enkel)

Dort wo am morgen der hahnenschrei
die autos im tal
um ein winziges übertönt

Um ein winziges

Komm, dem hahn zu helfen

FERNSEHÜBERTRAGUNG IM GASTHOF ZU E.
(fußballänderspiel Deutschland–Holland)

Den ham's beim vagasn vagessn, sagt
der junge mann als der holländer
das tor schießt

Dös sogt ma net dös denkt ma net, sagt
der wirt

Den ham's beim vagasn vagessn, sagt
der junge mann als der holländer
das zweite tor schießt

Der wirt bringt bier, den gästen steht
der schaum vorm mund

Was denken sie was man nicht sagt
Was denken sie was man nicht denkt

GLOCKEN ALLZU NAH

Morgen für morgen verheert ihr geläut
meinen schlaf, als sei's gottes wille, jene zu strafen,
die abends nicht einschlafen können
in seiner welt

Sonntags eilen die großen glocken, den kleinen zu helfen

Sie läuten die gläubigen aus den betten,
sie läuten die gläubigen in die mäntel,
sie läuten läuten

An einem montag im nebel werde ich die glocken
                                        pflücken
wie überreife früchte
und sie verfüttern an den glockenfisch

Für das heil meiner seele fürchte ich nicht

Heimlich wird für mich bitten
der pfarrer. Er schläft gern lang

INTONIEREN

Niemand wird die entfernung hören
zwischen dem finger des orgelbauerlehrlings, der beim
                                      stimmen dem intonateur
die taste hält, und dem finger dessen, der sie anschlägt
im konzert

Dem lehrling ist's kein trost daß jenem
ein anderer meister aus anderem werk sein *Weiter!* zuruft

Das tastenhalten beherrscht er
bis in die blaugefrorenen fingerspitzen, und das elfenbein
                                      ging ihm über
in fleisch und blut

Am abend in fremdem pfarrhausbett – das schnarchen
                                      des intonateurs
verstimmt die nacht – brütet der lehrling vor langeweile
den lehrbuchtitel aus:
Das orgelnegativ

VERREGNETER SOMMER

Morgen für morgen blickst du ins land ob die kuppeln
                              der kirchtürme
nicht abfalln wie im garten die rosen die sich
nie öffneten

Die prozession entlang den überschwemmten wiesen
                              trägt
einen baldachin aus schirmen

Schwieriger wird's von tag zu tag, gott
durch den regen zu bringen

DICHTER, NICHT GEKREUZIGT

Sie kommen, den ruhm zu berühren

Doch nirgends
auch nur der duft von lorbeer

Nicht einmal eine dornenkrone

Nur die stirn, die du hast

Und so gehen sie fort und fügen dir
ihre irrtümer zu,

dorn für dorn

ZU STERBEN BEGINNEN

Über der baumgrenze in uns, unterhalb
des wahnsinns, um ein weniges
versteinern

Hinabsteigen dann

An einer stelle
unverletzbar

ERASMUS VON ROTTERDAM

Er wußte, was brücken wissen: Sie verbinden
über wasser, was unter wasser
verbunden ist

Doch das eine ufer war sumpf,
das andere feuer

ALTES MOTIV

Wenn das jagdhorn schallt,
sich zur meute schlagen

Ist das wild zur strecke gebracht, haben die jäger
ein gutes gedächtnis

KLEINE RECHENSCHAFT NACH MÄHREN
(für Jan Skácel)

Was bleibt übrig, als sein heil zu suchen
in der demut der kleinen wortanfänge

Das ende schreibt sich immer klein

Das ende, wenn mit klirrendem gestänge
der sarg hinausgeschoben wird

Gott wohnt nicht bei den glocken,
und höher reichen wir nicht

DEN LITERATURBETRIEB FLIEHEND

Sie wollen nicht deinen flug, sie wollen
die federn

DIMENSION

Gern setze ich mich zum taubstummen, mit den lippen
wörter schälen

Zuhören kann fast nur noch der taube

Er *will* verstehen

Und nur der stumme auch weiß, was es heißt,
vergebens ums wort zu ringen

Hin und wieder ernennen wir uns durch zunicken
zu alten hasen (jeder im nacken
die meutefühlige narbe)

Gern setze ich mich zum taubstummen, mit den augen
hören, wenn ringsum sich die stimmen
überschlagen

STÖCKERODEN
(für H.W.M. im Thüringer wald)

Ich rode stöcke

Sie haben gefällt und gefällt, die stöcke
überwuchern lassend, die zeugen
ihrer sünden

Nun nistet in glut und gestrüpp die schlange
Ihr biß ist tödlich

Ich rode stöcke

Ich könnte drauflosschlagen, das
gäbe funken und

eine stumpfe axt

Ich gehe um den stock herum, betrachte ihn
von allen seiten

Wurzeln haben ihren grund

Ich lege sie bloß und löse aus ihrer umklammerung
den stein

Für den axthieb den gezielten nehme ich
unser augenmaß

71

Ich rode stöcke
Was ein einzelner mensch an stöcken so roden kann

Vielleicht bleibt am ufer der Donau
eines tages ein schattiger hang

MIT DEN ELTERN IN DEN ALPEN

Die welt wird verglichen
mit den ansichtskarten, die siebzig jahre lang
die welt waren

Doch als die wolke
die seilbahngondel einschließt, findet das staunen der
Mutter
zurück:
*Wie wenn man einen kessel weißes wäscht und
macht
die waschhaustür nicht auf*

Hättest du den weg verloren,
an ihren gleichnissen könntest du dich
nachhaustasten

IN DEUTSCHLAND

Bürgern der DDR, die das gesetzliche Rentenal-
ter erreicht haben . . ., kann . . . die Ausreise aus
der DDR nach nichtsozialistischen Staaten und
Westberlin zum Besuch ihrer Verwandten ge-
nehmigt werden.
(Anordnung über Regelungen im Reiseverkehr
von Bürgern der DDR, 14. Juni 1973)

Nur noch achtzehn Jahre . . .
(brief, Altenburg/Sachsen 1979)

Das grab herbeisehnen,

um am tisch des freundes
eine tasse tee trinken zu dürfen

CREDO AN EINEM GUTEN MORGEN

. . . . die im herzen barfuß sind
(Jan Skácel)

Wenn du ein gedicht schreibst, im herzen also
barfuß bist,

meide die plätze, an denen
etwas in dir zerbrach

Das moos
ist den scherben nicht gewachsen

Es gibt ihn, den
vers ohne wunde

BEIM ANBLICK DES THÜRINGER WALDES VOM FLUGZEUG AUS
(München – Berlin)

Lieber über eure köpfe
hinwegfliegen, freunde, lieber

hinwegfliegen müssen über eure köpfe, als
hinwegschreiben

falls nicht die sonne früher untergeht

WAHLPROGNOSE

Kopf an kopf

Der sieger wird
das ziel verkaufen, damit wir alle noch ein wenig
länger bleiben können

Falls nicht die sonne früher untergeht

Die kletterrosen blühn, als verblute die landschaft

Als habe sie sich die adern geöffnet

Als wisse sie, was kommt

Auch die landschaft, werden sie behaupten, dürfe
nicht mehr nur sein, auch sie
müsse dafür sein oder dagegen

AUF DEM VORMARSCH

Erst fassen sie fuß, dann
nach den köpfen

(Hindert sie die schwelle, kehren sie
die reihenfolge um)

BRIEF AUS PRAG 1980

Das baugerüst stehe noch immer

Längst habe sich von der fassade
der rest des putzes gelöst

Nun blättre vom gerüst der rost
und auf dem gehsteig sei
zeitlos herbst

Postscriptum
Vor dem jahrestag
seien an der hauswand männer aufgestiegen, hätten –
weiße engel die mit ihren weißen flügeln schlagen –
weiße bürsten ausgeschwungen

und seien davongeflogen
von weißem gerüst

DIE KÜSTE VON DANZIG
(Dezember 1980)

Daß in ihrer armbeuge
gewalt steckt,
wußten wir

Nun zeigt ihr ellenbogen
den arm der geschichte,

und furcht erfaßt uns nicht nur um jene,
die sich auf ihn zu stützen wagen

LIEBESGEDICHT NACH DEM START
ODER
MIT DIR IM SELBEN FLUGZEUG

Sieh den schatten auf der erde den winzigen schatten der
mit uns fliegt

So bleibt die größte unserer ängste
unter uns zurück

Nie ist die wahrscheinlichkeit geringer daß der eine
viel früher als der andere stirbt

TROST IN ZEHNTAUSEND METERN HÖHE

Die erde ist uns sicher

Nur ist die erde
nicht sicher

Doch sollte sie sich auflösen
in unserer abwesenheit, könnten wir,
der schwerkraft ledig,

gleich weiterfliegen

Amerika, der autobaum

AMERIKA, DER AUTOBAUM

Er wächst aus den entfernungen

In seinen früchten aus stahl und chrom
weiße, schwarze kerne:

der mensch

In ihm
die entfernung

MIT DEM GASTGEBER DURCH DIE PRÄRIE

Fünfundfünfzig meilen in der stunde,
und nahtlos der asphalt

An den rändern blühende kakteen,
büffel, eine herde esel

Einmal einen eselsschrei
in die hände nehmen dürfen

Hundert schritte tun
außerhalb einer tankstelle

UNIVERSITY OF TEXAS UND TIEFER
INS LAND
(für Gisela Mosig)

Oliven könnten hier gedeihn, doch brauche der ölbaum
fünfzehn jahre, ehe er

gewinn abwirft

Die lianen in den eichen seien
wilder wein, doch

ehe ein weinberg sich rentiere . . .

In den gläsernen weinbergen der wissenschaft aber
haben sie die geduld von engeln

und beugen sich
über ihre abgenommenen flügel

AMERIKANISCHE AUTOS
IN ZEHNGESCHOSSIGEM PARKHAUS

Raubtiere,

schieben sie ihre schimmernden schnauzen
über die betonbalustrade,

gierig, am abend wieder
ihren menschen zu verschlingen

AUF DEM FLUGHAFEN VON ATLANTA

Mit dröhnenden düsen
stehen sie schlange

Sie stehen an
nach himmel

Wir
sind geduldig

Das halbe leben haben wir
angestanden nach der erde

AUF DEN STRASSEN MANHATTANS

Du blickst nach oben

Du ahnst den abgrund, in dem
das gründet

Du gehst auf einem seil

Ein seiltänzer der
nach oben blickt

MANHATTAN IM UNWETTER

Als wolle gott
es hinwegdrücken
  hinwegschwemmen
    hinwegschmelzen

So viele türme ohne glocken

IN KANADA, AN DEUTSCHLAND DENKEND

Hier ist raum

Doch nichts, woran du dich festhalten kannst

Nicht einmal die grabkreuze können sich festhalten
an einem hügel

Bei uns
hat alles einen kern

Selbst der pudel

Und sei's
der teufel in ihm

und ein wirklicher leser wird sagen

APFEL FÜR M.R.-R.

Ich finde, es ist höchste Zeit, daß es wieder
etwas Neues von Ihnen zu lesen gibt.
(M.R.-R., brief vom 12. dezember 1978)

Bitte, lassen Sie von sich hören und schicken Sie
mir Manuskripte, denn es ist ja nun höchste
Zeit, daß es in unserer Zeitung etwas von Ihnen
zu lesen gibt.
(M.R.-R., brief vom 29. mai 1980)

Höchste zeit kommt von innen

Höchste zeit ist, wenn die kerne
schön schwarz sind

Und das weiß zuerst
der baum

POLITIKER, EINES MEINER BÜCHER LOBEND

Ein menschliches buch, sagte die stimme im telefon

Ich wartete ab

Trotz so vieler enttäuschungen
lag im ohr, der kleinen schmiede,
von neuem der steigbügel bereit

Könnten Sie, sagte die stimme,
nicht auch etwas schreiben
in unserem sinn?

GEISTLICHER WÜRDENTRÄGER, KÜNSTLERN INS GEWISSEN

Er sagte nicht: seid
schöpfer

Er sagte: dient
dem glauben

So gering ist sein glaube
in die schöpfung

AUF EINEN DENUNZIANTENVERS

Eine seite gewonnen
im buch

Einen menschen verloren
im leben

(Mindestens einen)

Melde, schriftsteller K.
angetreten

Kopf bei fuß

GROB

Von hundert germanisten liebt die dichtung einer
Berufen ist zum germanisten außer diesem keiner

Interpretationshilfe
Außer diesem einen
mag der autor keinen

ENTGEGNUNG

> Woher nähme (der Künstler) das Recht für
> einen Monopol-Anspruch auf Darstellung von
> Bestandteilen dessen, was er gelebt und erlitten
> hat? Ich meine, daß ein solches Recht nicht
> demokratisch wäre ...
> (antwort eines journalisten auf die bitte, von
> einem interview absehen zu wollen, 24. august
> 1978)

1
Spuren gibt's in uns die zu sichern
nur wir selbst vermögen

So es einem von uns gegeben ist,
abdrücke zu nehmen
von solcher winzigkeit

Und ein mädchen das nicht aus noch ein weiß
wird dann plötzlich weiterleben wollen
und ein wirklicher leser wird sagen:

Noch immer gibt es gedichte

2
Dichter dulden keine diktatoren
neben sich

(In ihrem winzigen reich dem
freien vers)

VERTEIDIGUNG PETER HUCHELS
ODER
KRITERIUM

Auch dem vers ist's versagt,
leichter zu sein
als sein gewicht

abbitte nach der reise
  Mělník – stadt am zusammenfluß von Moldau und
  Elbe; Znaim – stadt in Südmähren
motto zum kapitel »auch dies ist mein land«
  Von niemandem vereinnahmbar – freie überset-
  zung von Nulli concedo
auf dem kalvarienberg bei Retz im januar
  Retz – niederösterreichische weinbaustadt; kalvarienberg mit sandsteinskulpturen
in der stabkirche zu Lom
  Lom – stadt im Gudbrandsdal, Norwegen
erstes geleit
  Dr. Clemens Graf Podewils-Juncker, generalse-
  kretär der Bayerischen Akademie der Schönen
  Künste; gestorben am 5. august 1978
die küste von Danzig
  Im dezember 1970 kam es in den polnischen
  küstenstädten zu streiks und arbeiteraufständen,
  die blutig niedergeschlagen wurden. – 1980 gelang
  es den polnischen werft- und hafenarbeitern, das
  recht auf freie gewerkschaften zu erstreiken und
  ihre gründung durchzusetzen. Anfang dezember
  wurde gemeldet, daß die Sowjetunion, die DDR
  und die Tschechoslowakei an der grenze zu Polen
  truppen konzentrieren.
verteidigung Peter Huchels oder kriterium
  Attackiert wegen der mühsal, die das verständnis

seiner gedichte bereite, antwortete der vierund-
siebzigjährige Peter Huchel: »Nicht gewillt, um
Milde zu bitten . . .«

inhalt